Junie B. Jones es la capitana del Día de Juegos

Títulos de la serie en español de Junie B. Jones de Barbara Park

Junie B. Jones y el negocio del mono
Junie B. Jones espía un poquirritín
Junie B. Jones y su gran bocota
Junie B. Jones ama a Warren, el Hermoso
Junie B. Jones y el cumpleaños del malo de Jim
Junie B. Jones y el horrible pastel de frutas
Junie B. Jones tiene un "pío pío" en su bolsillo
Junie B. Jones tiene un monstruo debajo de la cama
Junie B. Jones es una peluquera
Junie B. en primer grado (¡por fin!)
Junie B. en primer grado es la jefa de la cafetería
Junie B. en primer grado hace trampas
Junie B. en primer grado pierde un diente
Junie B. en primer grado es una carabela
Junie B. en primer grado: ¡Buu! y más que ¡buu!
Junie B. en primer grado es un espectáculo
Junie B. en primer grado: Navidad, Navidad (¡Qué calamidad!)
Junie B. Jones duerme en una mansión
Junie B. Jones busca una mascota
Junie B. Jones y la tarjeta de San "Valientín"
Junie B. Jones y el autobús tonto y apestoso
Junie B. Jones no es una ladrona

Barbara Park
ilustrado por Denise Brunkus

SCHOLASTIC INC.
New York Toronto London Auckland
Sydney Mexico City New Delhi Hong Kong

Con sonrisas y abrazos y pensamientos felices,
al superhéroe de verdad, Andrew Park

Originally published in English as *Junie B. Jones Is Captain Field Day*
Translated by Juan Pablo Lombana

ISBN 978-0-545-45813-9

Published by Scholastic Inc., 557 Broadway, New York, NY 10012, by arrangement with Writers House, LLC. SCHOLASTIC, SCHOLASTIC EN ESPAÑOL, and associated logos are trademarks and/or registered trademarks of Scholastic Inc.

12 11 10 9 8 7 6 5 4 3 15 16 17/0

Printed in the U.S.A. 40
First Spanish printing, September 2012

NOTA DEL EDITOR: Al igual que en la versión original en inglés, los errores gramaticales y de uso de algunas palabras que aparecen en el libro son intencionales y ayudan al lector a identificarse con el personaje.

Contenido

1. Fanfarronear 1
2. C-A-P-I-T-A-N-A 8
3. Capas y rayos 16
4. Thelma la Nueva 23
5. Evento número uno 29
6. Perdedores 39
7. Aplastados 49
8. William 60

1/ Fanfarronear

Me llamo Junie B. Jones. La B es de Beatrice, pero a mí no me gusta Beatrice. Me gusta la B y ya.

¡Esta mañana me desperté emocionada! Porque hoy es Día de Juegos en la escuela, por eso.

¡No podía dejar de gritar la gran noticia!

—¡Día de Juegos! ¡Hoy es Día de Juegos! —le grité a mi perro que se llama Cosquillas.

Después corrí superrápido al cuarto de mi hermano. Ollie estaba durmiendo en la cuna.

—¡Día de Juegos! ¡Hoy es Día de Juegos! —le grité al bebé Ollie.

Se despertó superrápido. Después comenzó a gritar con toda la cabeza.

Mi mamá vino corriendo.

—¡Junie B. Jones! ¡Por todos los cielos! ¿Qué tienes esta mañana?

Miré a la mujer esa muy curiosa.

—Día de Juegos —dije—. Tengo Día de Juegos, mamá. ¿Cómo se te pudo olvidar este evento tan importante? He estado hablando de esto toda la semana, ¿recuerdas? Hoy es cuando el Salón Nueve compite con el Salón Ocho. Y hacemos carreras y eso.

Ollie seguía gritando.

—¿Puedes callarlo, por favor? —le pedí a mi mamá—. Me va a echar a perder el Día de Juegos.

Ella alzó y calmó a mi hermano.

—Menos mal que ya llegó el Día de Juegos —dijo—. Tal vez ahora podremos hablar de algo diferente, para variar.

Yo bailé alrededor de la mujer esa.

—¡Así es, mamá! ¡Vamos a hablar de algo diferente! Cuando se acabe el Día de Juegos, vamos a hablar de la paliza que el Salón Nueve le dio al Salón Ocho. ¡Ja!

Brinqué arriba y abajo.

—Vas a venir a verme, ¿cierto? Y papá también, ¿cierto? Porque el Salón Nueve va a necesitar muchos aplausos.

—No te preocupes —dijo mamá tocándome el pelo—. Allá estaremos. Creo que el abuelo y la abuela Miller también van a ir.

—¡Bravo! —dije—. ¡Bravo por toda la familia!

Después de eso, salí *escopeteada* del cuarto. Y llamé por teléfono a mi *supermejor* amiga que se llama Grace.

¡Y a que no adivinan esto! ¡Ni siquiera tuve que buscar el número! ¡Porque por fin se me quedó en la cabeza!

Se llama 555-5555. Y ese es un número difícil de aprender, te lo digo. Porque siempre se me olvidaba el cinco.

Apreté los números muy cuidadosa.

—¿Hola? —dijo una voz.

Levanté las cejas.

—¿Grace? ¿Qué le pasa a tu voz? ¿Por qué no suena como tu voz? ¿Tienes una rana en la garganta?

De pronto, hice un suspiro.

—¡Ay, no! ¡Grace! No me digas que estás malita. ¡No puedes resfriarte hoy, Grace! ¡Hoy es Día de Juegos! ¡Y tú eres la más superrápida de todo kindergarten! Ve y dile a tu papá que tienes que ir a la escuela, Grace. ¡Ve y dile eso ya mismo! ¡Ve, ve, ve!

En ese momento, la voz volvió a hablar.

—Este *es* el papá de Grace —dijo.

—Ah —dije—. Hola, Sr. Grace. Con razón no suena bien. Porquc usted ni siquiera es Grace, por eso. ¿Y dónde está ella, se puede saber?

A los pocos segundos, la tal Grace dijo hola.

—¡Grace! ¡Grace! Soy yo. ¡Junie B. Jones! ¡Me alegra tanto oír tu voz! No estás malita, ¿cierto, Grace? Vas a venir al Día de Juegos, ¿no?

Grace se rió.

—Claro que voy a ir, tonta —dijo—. Tengo que ir al Día de Juegos, ¿lo recuerdas? Soy la corredora más superrápida de kindergarten.

Volví a levantar las cejas.

—Mira, esta es la situación, Grace. Se supone que no debes decir esas cosas. El abuelo Miller dice que eso se llama "ser una fanfarrona". Y eso ni siquiera es educado.

La tal Grace me hizo un resoplido.

—No soy una fanfarrona, Junie B. Solo digo la verdad. Hay muchos lentos en nuestra clase y tú lo sabes. Lucille no corre porque no le gusta sudar. Y tú no eres muy rápida que digamos.

Hice una mueca por lo que dijo la niña esa.

—Ah, ¿sí? —dije.

—Así que yo tendré que correr rapidísimo —dijo—. Porque soy la única superrápida.

Puse cara de enojada.

—Acabas de fanfarronear otra vez, Grace —dije.

—No lo hice —dijo ella.

—Lo hiciste —dije.

—No lo hice.

—Lo hiciste.

En ese momento, mi mamá me llamó.

—Bueno, me tengo que ir, Grace. Nos vemos, amiga —dije.

—Nos vemos, amiga —dijo ella.

Después de eso, las dos colgamos. Y yo brinqué hasta la cocina muy contenta.

¡Porque una bonita conversación es la mejor manera de comenzar el día!

2/ C-A-P-I-T-A-N-A

Ese día en la escuela, el Salón Nueve estaba alborotado. Todos estábamos riéndonos y brincando y gritando.

Yo y mis *supermejores* amigas Grace y Lucille corrimos y brincamos por todo el salón. ¡Porque teníamos que *calientar* nuestros músculos para el Día de Juegos, por eso!

De pronto, mi maestra gritó nuestros nombres.

—¡Lucille! ¡Junie B.! ¡Grace! ¡Por favor, siéntense ya!

Paramos superrápido.

Mi maestra se llama Seño. Tiene otro nombre, pero a mí me gusta Seño y ya.

—Está bien, pero tenemos que seguir brincando —dije— porque Grace dijo que tenemos que *calientar* los músculos para el Día de Juegos. Si no *calientamos* los músculos, las piernas se *cambran*.

—Se *encambran* —dijo Lucille.

—Se encalambran —dijo Grace.

Seño sonrió un poquito.

—Niñas, afuera van a tener mucho tiempo para calentar —dijo—. Pero ahora tenemos que hacer algo importante. Ahora, vamos a elegir al capitán o la capitana del equipo del Día de Juegos.

Ahí mismo, todos nos volvimos a emocionar otra vez.

Un niño que se llama el malo de Jim alzó la mano en la cara de la maestra.

—¡Yo! ¡Yo! ¡Elíjame a mí! —gritó—. ¡Yo voy a ser un gran capitán!

—¡No, elíjame a mí, maestra! —gritó otro niño que se llama Paulie Allen Puffer—. ¡Yo voy a ser mejor que él!

—¡No! ¡Elíjame a mí! ¡Soy la corredora más rápida de todo kindergarten! —gritó la tal Grace.

Seño se sentó en su asiento, cruzó los brazos y esperó a que se acabara el griterío.

Yo corrí superrápido hasta su escritorio.

—¡Seño! ¡Seño! ¡Adivine qué! ¡Yo no grité nada ahorita! —dije—. ¿Me oyó? ¿Sí? ¿Me oyó no gritando? Fui la única de todo el salón que no gritó, creo.

Tiré de su manga.

—Tal vez debería premiarme por mi comportamiento —dije—. ¿Sí, Seño? ¿Qué piensa? Tal vez debería elegirme a mí capitana del Día de Juegos. Porque eso les enseñaría una buena lección a los otros niños, creo.

Seño se paró y me acompañó a mi pupitre. Me apuntó con el dedo.

—Siéntate ahí —dijo.

Después de eso, volvió a su escritorio. Y alzó una pequeña canasta.

—Escuchen todos, por favor. En esta canasta hay dieciséis papelitos doblados. Quince papelitos están en blanco. Pero en uno de los papelitos dice *capitán o capitana*. La persona que saque ese papel será el capitán o la capitana del equipo del Día de Juegos.

Después de eso, Seño caminó por el salón con la canasta.

Paró en cada pupitre para que todos sacáramos un papelito.

—No los desdoblen hasta que todos

hayan sacado el suyo —dijo Seño—. Vamos a desdoblarlos al mismo tiempo.

Mi estómago estaba de lo más saltarín porque no quería que nadie más sacara el papelito de capitán o capitana, por eso.

Cuando Seño llegó a mi pupitre, el corazón me latió muy fuerte.

Ella estiró la canasta para que yo sacara el papelito.

Metí la mano muy cuidadosa. Y escarbé y escarbé mucho ahí adentro.

—Por favor, Junie B., saca uno, ¿bueno? —dijo Seño dando pisotones.

—Sí, pero creo que mis dedos todavía no han tocado el que es —dije—. Estoy esperando a sentir las buenas *viras*.

—Vibras —dijo Seño—. Es una manera de decir vibraciones.

—Lo que sea —dije, y escarbé y escarbé.

—¡Por todos los cielos! —dijo Seño—. ¡Saca uno ya!

Después de eso, saqué un papelito chiquito de la canasta esa. Y esperé en mi puesto muy paciente hasta que todos sacaron el suyo.

—Muy bien, niños, cuando cuente hasta tres, pueden desdoblar los papelitos —dijo Seño sonriendo—. Uno... dos... ¡tres!

Desdoblé el mío.

E hice un suspiro.

¡Porque vi las letras, por eso!

—¡SEÑO! ¡SEÑO! ¡MIRE! ¡MI PAPEL TIENE LETRAS! ¡DICE *CAPITÁN O CAPITANA*, CREO!

Salí *escopeteada* hasta el frente del salón para mostrarle.

¿Y adivina qué?

¡Ella dijo que yo tenía razón!

Así que comencé a brincar en círculos.

—¡HURRA! ¡HURRA! ¡SOY YO, GENTE! ¡VOY A SER CAPITANA DEL DÍA DE JUEGOS!

Después de eso, me reí y bailé y aplaudí y aplaudí.

Pero nadie más aplaudió conmigo.

3/ Capas y rayos

Seño corrió hacia mí y me pidió que por favor dejara de bailar.

—Sí, solo que no puedo controlar mis pies —dije— porque están *requetemocionados* porque voy a ser Capitana del Día de Juegos.

Brinqué arriba y abajo.

—¡Siempre he querido ser la jefa de esta gente! —dije—. ¡Y ahora seré la capitana de todos! ¡Capitana es lo mismo que jefa! ¿Cierto, Seño? ¿Cierto?

En ese momento la boca se me abrió muy grande. ¡Porque pensé en algo fabuloso!

—¡Seño! ¡Oiga, Seño! ¿Adivine qué más puede ser una capitana? ¡Puede ser un superhéroe, creo!

Aplaudí de la emoción.

—¡Sí! ¡Sí! ¡Eso lo oí una vez! Oí que hay un superhéroe que se llama Capitán Nosequé. ¡Y por eso este trabajo es todavía mejor!

Me abracé muy contenta.

—¡Tal vez puedo ponerme un traje completo de superhéroe! ¡Con leotardos y mallas! ¡Y una capa! ¡Y un cinturón con un rayo!

En ese momento, Seño alzó su mano en el aire.

—¡Espera, espera, espera! —dijo, y me llevó veloz al pasillo y se arrodilló a mi lado—. Junie B., estás confundida acerca de lo que es ser la capitana del equipo. Las capitanas no son superhéroes ni superheroínas. Ni siquiera se parecen.

Le hice un resoplido a esa señora.

—¿Por qué? ¿Por qué no? —pregunté—. Las capitanas son jefas, ¿no?

—No, Junie B. —dijo Seño—. En este caso, la capitana del equipo apoya al equipo. La capitana mantiene unido al equipo. Tú sabes lo que quiere decir *unido*, ¿verdad? Has oído esa palabra, ¿no?

Me toqué la barbilla muy *piensadora*. Pero no pude acordarme. Así que ella me explicó.

—*Unido* quiere decir que las personas están juntas —dijo—. La capitana o el capitán hace que los miembros del equipo trabajen juntos con alegría. En lugar de darles órdenes, los anima. ¿Crees que puedes hacer eso?

Hice otro resoplido. Porque ese no era el trabajo que me imaginaba, por eso.

Por fin, alcé los hombros.

—Creo que puedo hacerlo, pero todavía me gustaría llevar una capa —dije bajito, y la miré muy seria—. Me gustaría mucho, mucho, Seño.

Seño se paró.

—Bueno, supongo que si buscamos por el salón, tal vez encontremos una toalla que podamos pegarte en los hombros —dijo—. ¿Qué te parece?

Mis ojos se pusieron grandes y brinqué lo más alto que pude.

—¡Perfecto! —dije—. ¡Una toalla sería perfecta, Seño! ¡Porque entonces sí que voy a parecerme a la Capitana del Día de

Juegos! Además, ¡voy a poder secarme las manos de vez en cuando!

Después de eso, salí *escopeteada* al lavabo que está en la parte de atrás del Salón Nueve. ¿Y adivina qué? Pues que Seño encontró una toalla en el estante. ¡Y era roja!

Me la puso en los hombros con unos ganchos.

Yo corrí por todo el salón.

—¡Míreme, Seño! ¡Míreme! ¡Soy super-rápida como un rayo con esta cosa!

Por fin, Seño me agarró la mano y me llevó hasta la puerta.

—Niños —dijo—, ya vamos a salir. Hagan una fila detrás de nuestra capitana.

Yo me volteé y los miré.

—¡Esa soy yo, gente! ¡Soy su capitana! ¡Soy la de la capa roja! ¡La capa es para que

se acuerden de que soy la capitana del Día de Juegos!

Justo en ese momento, el Salón Nueve gruñó y gruñó. Solo que yo no sé por qué.

Después, hicieron fila detrás de mí. Y todos marchamos hacia el patio de recreo.

Entonces esperamos muy nerviosos a que el Salón Ocho saliera.

¡Porque el Día de Juegos estaba a punto de comenzar!

4/ Thelma la Nueva

Conozco a dos niños del Salón Ocho.

Primero, conozco a un niño que se llama Warren el Hermoso. Antes, era nuevo en la escuela.

Yo lo amaba. Solo que ahora no lo veo casi nunca. Así que ya solo es Warren el Normal, y punto.

También conozco a una niña del Salón Ocho. Se llama Thelma la Nueva.

El día en que llegó a la escuela, mi novio,

que se llama Ricardo, la persiguió por todo el patio de recreo.

Yo grité y grité para que parara. Pero él dijo que perseguir a Thelma la Nueva era divertido. Y así fue como me dejó.

Los adultos dicen que si alguien te *dejó*, tienes que buscarte un nuevo Ricardo.

En ese momento, se abrió la puerta de la escuela. Y el Salón Ocho salió *escopeteado* al patio de recreo.

La maestra del Salón Ocho era la primera en la fila y le estaba dando la mano a alguien.

Yo hice un suspiro.

Porque, ¿adivinen qué?

¡Era Thelma la Nueva! ¡Y era la capitana del Salón Ocho, creo!

Seño me sonrió.

—Muy bien, Junie B. —me dijo—, esto es lo que vas a hacer. Apenas lleguen acá, tú le das la mano a la capitana del Salón Ocho y así comienza el Día de Juegos.

Me sentí enfermísima por dentro.

—Sí, solo que hay un problema —dije—. Y es que esa niña no me gusta. Así que mejor voy a darle la mano a la maestra del Salón Ocho.

—No, Junie B. —dijo Seño—. Eso no puede ser. Las capitanas se dan la mano. Es la manera en que los equipos demuestran su espíritu deportivo.

Después de eso, Seño me llevó marchando hasta donde estaba Thelma la Nueva.

¡Y oigan esto!

¡Esa atrevida me tomó la mano sin preguntarme!

—¡Oye, yo te conozco! —dijo muy sonriente—. ¡Te vi en el patio una vez! Eres amiga de Ricardo.

Después de eso, me apretó la mano.

Yo no se la apreté.

Seño se acercó a mi oreja. No parecía contenta.

—Deséale buena suerte a su equipo, Junie B. —me susurró—. Ya mismo.

Yo resoplé.

—Está bien. Buena suerte, Thelma —gruñí.

—Buena suerte —dijo Thelma la Nueva, y trató de darme la mano otra vez, pero yo quité la mía muy rápida.

—No toques la mercancía —dije.

Después de eso, Seño me agarró del brazo y me llevó de vuelta a mi equipo.

¿Y adivina qué?

¡Pues que en ese momento oí al abuelo Miller decir mi nombre!

Alcé la cabeza. ¡Él y mi abuela estaban cruzando el patio con mi mamá y mi papá!

Corrí superrápida.

—¡Miren, gente! ¡Miren! ¡Miren! ¡Soy la capitana del Día de Juegos! ¿Ven la capa? ¡Soy la capitana de todo este gran evento!

El abuelo Miller sonrió muy orgulloso. Después me alzó en el aire y me dio vueltas y vueltas. ¡Y volé como un superhéroe de verdad!

Al poco rato, oí que Seño había soplado su silbato.

Entonces, el abuelo Miller me bajó. Y yo corrí hasta donde estaba mi equipo.

¡Porque era la capitana del Día de Juegos al rescate!

5/ Evento número uno

—¡CAPITANA DEL DÍA DE JUEGOS AL RESCATE! ¡CAPITANA DEL DÍA DE JUEGOS AL RESCATE! —grité muy fuerte.

Después, corrí y corrí por todo ese lugar. Mi capa voló en el aire detrás de mí.

¡Esas cosas son fantásticas, te lo aseguro!

Corrí por entre todos los niños y las niñas.

De pronto, Seño me sujetó la capa y no la soltó.

—Ya sé, pero este es el problema —dije—. Que no puedo volar al rescate si me sujetas.

—Junie B., por favor —dijo Seño—. Tienes que calmarte. No hay que rescatar a nadie. Soplé el silbato para comenzar con la primera carrera.

En ese momento la maestra del Salón Ocho sopló su silbato.

—El primer evento entre el Salón Ocho y el Salón Nueve es una carrera de relevos —dijo—. Como hay dieciocho niños y niñas en cada salón, todos pueden correr.

Después de eso, Seño pintó una línea en el pasto donde debía comenzar la carrera. Y nos explicó las reglas.

—Cada equipo se pondrá detrás de esta línea blanca —dijo—. La primera persona de la fila correrá hasta la cerca, volverá, y entonces tocará a la siguiente persona para que corra. La carrera continuará así hasta que todos los de la fila hayan corrido. ¿Entienden?

Yo brinqué de emoción.

—¡Ya entiendo! —grité—. ¡Porque soy la capitana del Día de Juegos, por eso!

Después, corrí hacia mi *supermejor* amiga Grace.

—Tú vas primero, Grace —dije—. Tú eres la más rápida de kindergarten. Y por eso tienes que ser la primera de la fila.

Tomé la mano de Grace y la llevé hasta el frente.

Solo que peor para nosotras porque Charlotte ya estaba ahí.

—¡No se pueden colar! —dijo—. ¡Yo llegué primero!

Crucé los brazos ante esa chica.

—Sí, lo sé, Charlotte —dije—. Pero yo soy la capitana del Día de Juegos. Y la capitana del Día de Juegos dice que la superrápida Grace debe ser la primera. Así que córrete, señorita.

Charlotte dio un pisotón.

—¡No! ¡Te dije que yo llegué primero! —dijo molesta.

En ese momento, Grace le sonrió muy amable a Charlotte y le dijo un secreto en la oreja.

Y entonces, ¿a que no adivinas qué pasó? ¡Charlotte dio un paso atrás! ¡Y dejó que Grace fuera la primera!

—¡Ay, ay, ay! —dije—. ¿Cómo lograste eso, Grace? ¿Qué le dijiste?

—Solo dije *por favor* —dijo la tal Grace.

—¿Por favor? —dije tocándome la barbilla

muy *piensadora*—. Voy a tener que acordarme de eso.

Seño sopló su silbato para que nos alistáramos.

—¿Preparados? —dijo.

—¡Sí! —respondimos.

Entonces, Seño gritó lo más alto que pudo:

—EN SUS MARCAS...

—LISTOS...

—¡FUERA!

Y... ¡zas! Rápida como un cohete, ¡Grace comenzó a correr!

—¡CORRE, GRACE! ¡CORRE! ¡CORRE! —gritó el Salón Nueve.

Grace llegó *escopeteada* a la cerca y de vuelta a la línea.

Le tocó el hombro a Charlotte.

—¡CORRE, CHARLOTTE! ¡CORRE! ¡CORRE! —gritó el Salón Nueve—. ¡ESTAMOS GANANDO! ¡ESTAMOS GANANDO!

Después de eso, Charlotte tocó a una niña llamada Lynnie. Y Lynnie tocó a Jamal Hall. Y Jamal Hall tocó a un niño llamado Ham. Y Ham tocó a Paulie Allen Puffer.

Después, todo el Salón Nueve corrió... ¡hasta que solo quedaban tres corredores!

Sus nombres eran Ricardo, Junie B. Jones y William Llorón.

Ricardo hizo ruidos como un auto de carreras.

—Rrrrruuuunn, rrrrruuuuunnn —dijo.

Cuando lo tocaron, salió corriendo.

Yo y William lo miramos correr.

—Aunque tiene botas de vaquero —dije muy orgullosa—, Ricardo corre muy rápido.

William Llorón me jaló la capa preocupado y me dijo un secreto en la oreja.

—No soy bueno para esto, Junie B. —dijo muy nervioso—. No corro muy rápido.

Yo le toqué la cabeza a ese lentucho.

—No te preocupes, William —le dije—. Yo soy la capitana del Día dc Juegos, ¿recuerdas? Voy a correr tan rápido que tú podrás caminar, creo.

En ese momento, Ricardo volvió de correr.

—¡Aquí voy, William! —grité—. ¡Aquí voy al rescate! ¡Mírame!

Ricardo me tocó la mano.

¡Y yo salí *escopeteada* como un conejo!

Después, ¡corrí más y más rápido!

Viré en la cerca y comencé a correr de vuelta.

¡Solo que peor para mí porque sucedió algo terrible!

Y se llama ¡AY, NO! ¡SE ME SALIÓ EL ZAPATO!

Salió volando muy arriba en el aire.

Yo corrí rápida a recogerlo.

El Salón Nueve gritó y gritó que no lo hiciera.

—¡SÍ, SOLO QUE NO SE PREOCUPEN, GENTE! —grité—. ¡NO ME DEMORO EN PONÉRMELO OTRA VEZ! ¡PORQUE BUENAS NOTICIAS...

Lo alcé y se lo mostré a todos.

—¡TIENE VELCRO!

Después de eso, me lo puse en un suspiro. Y corrí superrápido hasta William.

Y le toqué la mano.

Solo que ese niño se quedó ahí parado.

—¡Corre, William, corre! —le grité.

Pero William negó con la cabeza. Y señaló al Salón Ocho.

Todos estaban brincando y bailando.

Porque, ¿adivina qué?

Ya habían ganado la carrera.

6/ Perdedores

El Salón Nueve se portó muy mal conmigo.

No paraban de decir que por mi culpa perdimos la carrera.

Yo empecé a dar pisotones.

—¡No, no fue mi culpa! —dije—. Mi zapato salió volando. ¿Y entonces qué se supone que debía hacer? ¿Correr con mi calcetín?

El malo de Jim me dijo en mi mismísima cara:

—¡Sí, *chifloreta!* ¡Eso es exactamente lo

que deberías hacer hecho! ¡Correr con tu calcetín!

Yo pensé y *requetepensé*.

—Ya, ya —dije bajito—. ¿Qué tal eso? Parece que la capitana del Día de Juegos ha aprendido algo.

El Salón Nueve dio un resoplido.

Caminé hacia atrás muy cuidadosa. Porque alguien podía hacerme una *zuncadilla*, por eso.

Caminé hasta donde estaba Seño.

—Están enojados conmigo —dije—. Porque perdí la carrera.

Seño me tocó el pelo.

—No fue tu culpa, Junie B. —dijo—. Se te salió el zapato. Además, en el Día de Juegos no importa quién gana o quién pierde. El Día de Juegos es para divertirse.

Bajé la cabeza.

—Ya, solo que ¿qué hay de divertido en perder? —dije—. Eso es lo que yo quiero saber.

En ese momento, Seño hizo un *nuncio*.

—Niños, no quiero oír ni una sola palabra más sobre ganadores y perdedores, ¿está bien? El Día de Juegos es para correr al aire libre y disfrutar del sol. Salimos a divertirnos y a hacer ejercicio. Y no importa quién gane o quién pierda.

Apenas Seño se alejó, Thelma la Nueva vino brincando hasta mí.

—El Salón Ocho está ganando —dijo muy disimulada—. El Salón Ocho le está ganando al Salón Nueve uno a cero.

Yo le puse cara de enojada a la niña esa.

—Ya, ¿solo que no escuchaste a mi maestra, Thelma? —dije—. Al Salón Nueve ni siquiera le importa quién gane o quién pierda. El Salón Nueve salió a correr al aire libre. Así que ja, ja, eso es lo que te digo.

—Eso —dijo Ricardo.

—Eso —dijo Jamal Hall.

—Eso —dijo Lynnie.

Y entonces, toda esa gente me dio la mano. Porque yo tenía razón, creo.

De repente, la maestra del Salón Ocho volvió a soplar el silbato.

—El próximo evento es el lanzamiento de la pelota de softball —dijo—. Es diferente de la carrera porque no es un evento por equipos. El lanzamiento es para cualquiera que quiera participar. Quienes quieran ver hasta dónde pueden lanzar la pelota, por favor formen una fila detrás de mí.

Paulie Allen Puffer fue el primero en la fila.

—Soy buenísimo lanzando —dijo—. Soy el mejor lanzador del Salón Nueve, creo.

Lynnie se puso detrás de él.

—Yo soy buena también —dijo.

—Yo también —dijo Jamal Hall.

Entonces, William Llorón me jaló de la capa. Porque quería decirme otro secreto, por eso.

—No soy bueno para esto tampoco —dijo muy callado—. No tengo que hacerlo, ¿verdad, Capitana? No quiero lanzar la pelota.

Yo puse mi mano en su hombro.

—No tienes que lanzarla —dije—. No te preocupes, William, Paulie Allen Puffer va a ganar esto para nosotros en un dos por tres.

Después, un niño del Salón Ocho se puso en la fila.

Thelma la Nueva soltó un chillido.

—¡Uuuuuuh! ¡Es Frankie Fortacho! —dijo muy contenta—. ¡Frankie Fortacho es el niño más fuerte de kindergarten!

Todos lo miramos.

Frankie Fortacho nos enseñó un músculo grande en su brazo. Era redondo y largo.

Thelma la Nueva gritó y gritó:

—¡Dale, Frankie Fortacho! ¡Dale, Frankie Fortacho! ¡Dale, Frankie Fortacho!

Yo le toqué el brazo.

—Me vas a enfermar de los nervios, señorita —le dije.

Thelma la Nueva me sonrió en la cara.

Esa niña es una tonta, te lo digo ya mismo.

De repente, Seño se puso a aplaudir.

—¡Oigan, todos! ¡Estamos listos para comenzar! ¡El primero en lanzar la pelota será Paulie Allen Puffer del Salón Nueve! Solo hay tiempo para un lanzamiento por persona, así que traten de hacerlo lo mejor posible, ¿de acuerdo?

Paulie Allen Puffer sonrió.

—Yo solo necesito un lanzamiento —dijo—. Llevo lanzando pelotas toda la vida.

Después de eso, alzó la pelota del suelo y en vez de poner el brazo hacia delante lo puso hacia atrás.

¡Bam! ¡Lanzó la pelota tan fuerte como pudo!

Solo que peor para el Salón Nueve. Porque no apuntó bien. Y la pelota fue a dar al suelo.

Hizo un hoyo redondo ahí en la tierra.

El Salón Nueve miró y miró la cosa esa.

—Caray —dije.

—Caray —dijo el malo de Jim.

—Caray —dijo Charlotte.

Paulie Allen Puffer brincó y brincó.

—¡Denme otra oportunidad! —dijo—. ¡Denme otra oportunidad! ¡Por favor, Seño! ¡Por favor!

Pero Seño le dio una palmadita en la espalda. Y lo sacó de la fila.

Yo caminé hasta donde estaba mi *super-mejor* amiga que se llama Grace.

—Nos enterró —dije muy decepcionada—. Paulie Allen Puffer enterró a nuestro equipo.

—Sí —dijo la tal Grace—. Igual que tú en la carrera, Junie B.

Le puse los ojos chiquititos a la niña esa.

—Gracias, Grace —dije—. Gracias por recordármelo.

—De nada —me respondió.

La tal Grace no entiende lo sarcástico, creo.

Después de eso, otros niños y niñas de nuestro salón lanzaron la pelota.

Quien la lanzó más lejos fue Roger. La pelota llegó hasta la cerca.

El Salón Nueve gritó su nombre muy emocionado.

—¡ROGER! ¡ROGER! ¡ROGER!

Pero después le tocó lanzar a Frankie Fortacho.

Tomó una pelota de la canasta. La masajeó y la masajeó con sus manos. Y la lanzó con todos sus músculos.

Yo hice un suspiro.

¡Porque la pelota voló por encima de la cerca! ¡Y no la volvimos a ver!

El Salón Ocho gritó y gritó y bailó. También brincó y se meneó y dio volteretas.

Todos los del Salón Nueve bajamos la cabeza.

Porque, ¿adivina qué?

Perder no es divertido.

7/ Aplastados

Después vino la carrera en un pie.

El Salón Nueve escogió a los niños y las niñas que corren más rápido con un pie.

Eran Charlotte, Jamal Hall, la tal Grace, Lynnie y el malo de Jim.

Esa gente puede correr en un pie como un rayo, ¡te lo digo!

Yo inventé una canción para ellos. Se llama CORRAN, SALTARINES, y dice así:

¡CORRAN, SALTARINES! ¡CORRAN, SALTARINES!

¡CORRAN, SALTARINES! ¡CORRAN, SALTARINES!

Canté la canción con todas mis fuerzas en frente del Salón Ocho. Porque de veras pensé que ganaríamos este evento.

Solo que peor para nosotros.

Porque no ganamos.

Algunos de nuestros corredores lloraron un poco.

—Nos aplastaron —dijo Lynnie con los mocos afuera.

—Así mismo. Por eso tenemos un huevo de ganso —dijo Jamal Hall.

—Un huevo de ganso es un cero grande y gordo —dijo la tal Grace.

—Un cero grande y gordo es cuando apestas —dijo el malo de Jim muy triste.

A Seño no le gustó lo que dijeron.

—¡Oigan, oigan, oigan! ¡Ya no más! —dijo—. Yo estoy muy orgullosa de todos. Han tratado de hacerlo lo mejor posible y eso es lo importante, ¿no es cierto, Junie B.?

—Sí —dije—. Y ganar una vez no estaría mal.

Me senté, y Seño me miró por un largo rato.

—Jalar la cuerda es el siguiente evento —dijo por fin—. ¿Qué tal si nuestra capitana vuelve a animarnos?

—No, gracias —dije—. Ya hice una canción para la carrera en un pie y mire lo que pasó.

Seño me miró y me miró.

—Inténtalo —me dijo.

Yo me paré.

—Hurra —dije.

—Gracias —dijo Seño.

Me volví a sentar.

Todos nos pusimos en fila para jalar la cuerda.

El Salón Ocho estaba a un lado de la cuerda y el Salón Nueve estaba al otro lado.

Seño amarró un lazo justo en la mitad de la cuerda. Después pintó una raya en el suelo entre los dos equipos.

—Escuchen todos —dijo—. El equipo que logre pasar el lazo sobre la raya es el ganador. ¿Listos?

—¡SÍ! ¡SÍ! ¡SÍ! —gritó el Salón Ocho.

El Salón Nueve no nos quitaba los ojos de encima.

William Llorón estaba detrás de mí.

—No soy bueno jalando la cuerda, Junie B. —susurró—. Nunca he jalado la cuerda.

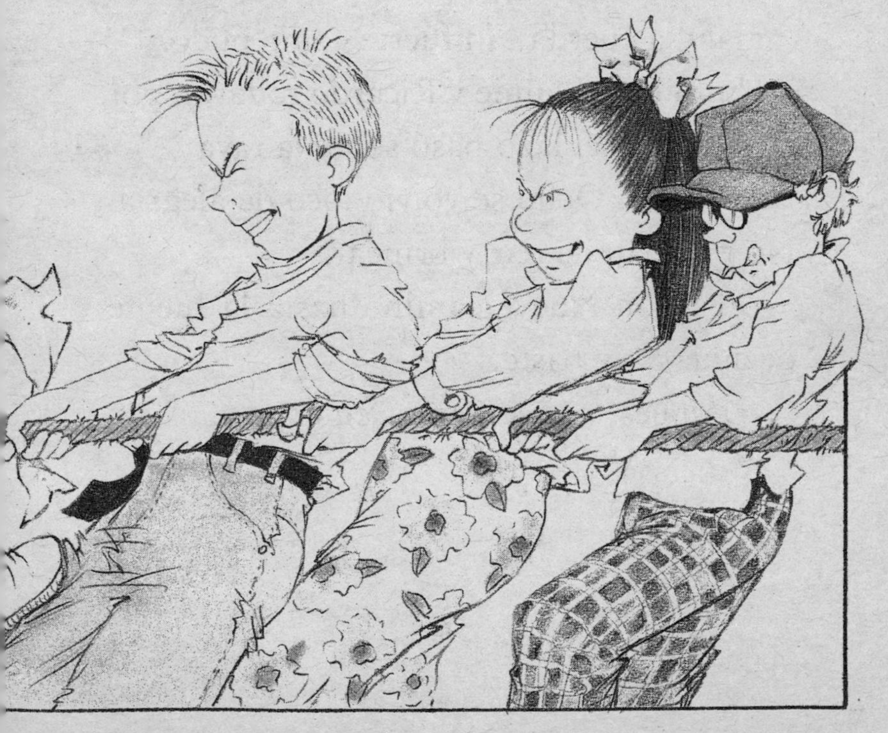

—Bienvenido al club, socio —refunfuñé.

Después de eso, la maestra del Salón Ocho sopló el silbato. Y los dos equipos comenzamos a jalar la cuerda.

El Salón Nueve jaló con toda su fuerza.

—¡Gente! ¡Gente! ¡Lo estamos logrando! ¡Lo estamos logrando! —grité sorprendida.

Jalamos un poco más.

De repente, escuchamos un alarido.

Era Frankie Fortacho.

Jaló la cuerda tan fuerte como pudo.

Entonces, Lynnie y Ricardo rodaron por la hierba. Y el lazo pasó sobre la raya.

El Salón Ocho se volvió loco de alegría. No paraban de reír y brincar.

El Salón Nueve caminó hasta la fuente de agua muy triste.

Después, nos sentamos en el piso.

Y no dijimos ni una palabra por mucho tiempo.

Por fin, Seño nos fue a buscar.

—Vamos —dijo—. Solo falta un evento.

Nos llevó hasta las barras.

La maestra del Salón Ocho estaba contentísima.

—Muy bien, todos —dijo—. Llegó la hora del evento de barras.

Paulie Allen Puffer se quedó mirándola.

—No me diga —dijo.

La maestra del Salón Ocho lo regañó. Y Paulie Allen Puffer tuvo que sentarse solo porque estaba castigado.

Seño estaba furiosísima.

—Ya sé que están de mal humor —dijo—. Pero una de las cosas que aprendemos en el

Día de Juegos es a no rendirnos. El Salón Nueve no se rinde nunca, ¿no es cierto, Junie B.?

Miré las caras de los chicos del Salón Nueve.

—Como que sí —dije.

Seño alzó las manos en el aire.

—Esto no puede ser —dijo—. Tiene que haber alguien del Salón Nueve que tenga ganas de seguir compitiendo. ¿Cuál de ustedes no se rinde? ¿Ah? ¿Qué tal tú, Jamal? ¿Puedes hacer una flexión en las barras para el equipo?

Jamal Hall se tapó la cara con la camiseta para que nadie lo viera.

—Creo que no quiere —dije.

Seño nos miró una vez más.

—¿Grace? —dijo—. ¿Qué tal tú? ¿Harías una flexión para nuestro equipo?

—No, no puedo —dijo ella—. De verdad que no puedo. Yo solo tengo fuerza en los pies.

—¡Yo no! —gritó una voz—. ¡Yo soy fuerte en todo el cuerpo!

El Salón Nueve se volteó.

Era Frankie Fortacho de nuevo.

Nos enseñó otro músculo del brazo.

Yo me puse a dar pisotones frente a ese niño.

—¡Deja de hacer eso, Frankie! —grité—. ¡Deja de fanfarronear! ¡Porque eso no es ni siquiera educado! Y además, ¡el Salón Nueve también tiene gente fuerte! ¡Tenemos gente que puede hacer *tropecientasmil* flexiones, para que te enteres! ¡Ja!

Frankie Fortacho cruzó los brazos.

—¿Como quién? —preguntó.

Me puse las manos en las caderas.

—¡Como mucha gente, te lo digo! Como... eh... eh... pues...

De repente, un niño del Salón Nueve alzó la mano un *poquirritín*.

—Como yo —dijo.

Después caminó hasta las barras. Y se paró ahí solito.

Yo hice un suspiro.

Y los otros niños del Salón Nueve hicieron suspiros también.

Porque a que no adivinas...

Era William.

8/ William

Todo el Salón Nueve se quedó mirando y mirando al niño ese.

—Mira los bracitos que tiene —susurró la tal Grace—. ¿Dónde tendrá los músculos?

—William no tiene músculos —dijo Paulie Allen Puffer—. Yo he visto cuando la brisa lo tumba en el patio de recreo.

—Sí —dijo Roger—. William ni siquiera sabe lo que es una flexión de barras, te apuesto. Ahora nuestro equipo va a quedar peor que nunca.

Seño chasqueó los dedos furiosa.

Esa mujer tiene un oído de halcón.

Frankie Fortacho se colocó primero.

La maestra del Salón Ocho lo alzó hasta la barra de arriba.

Entonces, rápido como un avión, hizo un gruñido muy fuerte. Y se levantó hasta que su barbilla tocó la barra.

—¡UNO! —gritó el Salón Ocho.

Frankie Fortacho hizo otro gruñido. Y volvió a levantarse.

—¡DOS! —gritó el Salón Ocho.

Después de eso, siguió y siguió. Frankie Fortacho siguió gruñendo y haciendo flexiones. Y el Salón Ocho siguió contando.

—¡TRES!

—¡CUATRO!

—¡CINCO!

—¡SEIS!

—¡SIETE!

Por fin, Frankie Fortacho se cayó al suelo.

—¡SIETE! ¡SIETE! ¡FRANKIE FORTACHO HIZO SIETE! —gritó Thelma la Nueva.

El Salón Nueve se sentó en el pasto muy triste.

Porque era el turno de William, por eso.

Nos tapamos los ojos y miramos por entre los dedos.

Seño lo alzó hasta la barra.

No era bonito verlo. Porque William estaba colgado de allá arriba. Y ni siquiera movía un músculo.

De repente, el Salón Ocho comenzó a reírse.

Yo le mostré un puño a esa gente.

—¡Oigan! —grité furiosa—. ¿Quieren probar esto?

Seño volvió a chasquear los dedos.

Entonces, William sacudió las piernas un poquito.

Después, volvió a sacudirlas.

¡Y vaya, vaya, vaya!

¡Su barbilla llegó justo hasta la barra!

¡Y esa no es ni siquiera la mejor parte! Porque apenas bajó, ¡volvió a subir otra vez!

Yo brinqué de alegría.

—¡DOS, WILLIAM! ¡HICISTE DOS FLEXIONES! ¡Y NI SIQUIERA GRUÑISTE! —grité muy contenta.

William volvió a subir.

Abrí la boca sin poder creer lo que hacía el niño ese.

—¡TRES, WILLIAM! ¡HICISTE TRES!

Después de eso, todo el Salón Nueve brincó también.

—¡CUATRO, WILLIAM! ¡CUATRO! —gritamos.

—¡CINCO, WILLIAM! —gritamos.

—¡SEIS! —gritamos.

—SIETE... OCHO... NUEVE... ¡DIEZ! —gritamos.

William quedó colgado un rato más.

Después, sacudió las piernas otra vez.

¿Y adivina qué?

—¡ONCE!

Fue el día más feliz de todo kindergarten.

Cuando William cayó al suelo, el Salón Nueve saltó encima de él.

—¡WILLIAM! ¡WILLIAM! ¡LO LOGRASTE! ¡LO LOGRASTE! —gritamos muy alegres.

Entonces, oímos una vocecita que dijo:

—Quítense de encima.

Todos nos paramos. Y levantamos a William.

El Salón Nueve bailó alrededor del niño ese. También intentamos subirlo en hombros. Porque era nuestro héroe, ¡por eso! Solo que nuestros hombros no podían aguantarlo. Y además los pies de William nos daban en la cara.

De repente, ¡se me prendió un bombillo en la cabeza!

—¡Gente! —dije—. ¡Un momento! ¡Lo tengo! ¡Lo tengo! ¡Ya sé cómo hacer para que todos vean que William es nuestro héroe!

Después de eso, le dije mi idea a Seño.

¿Y adivina qué?

¡Ella me quitó la capa roja de la espalda

y se la puso a William! ¡*Sactamente* como le dije que lo hiciera!

—¡William es el mejor! —dije—. William es nuestro superhéroe. ¡Su nombre debería ser Superwilliam, creo!

William sonrió muy agradecido. Después corrió *escopeteado* por el patio. Y la capa voló detrás de él.

Seño sonrió.

—¿Ven? —dijo—. ¿Ven lo que pasa cuando no se rinden?

En ese momento, William volvió donde estábamos todos.

—Hay algo que sigo sin entender, William —le dije—. ¿Cómo pudiste hacer eso? ¿Cómo hiciste once flexiones? Porque esas cosas son dificilísimas.

—Estuve practicando —dijo bajito—. En Navidad me regalaron una barra para hacer flexiones y he practicado todos los días.

En ese momento, el papá de William llegó corriendo. Y puso a Superwilliam en sus hombros.

Después, todos desfilamos muy felices hasta el Salón Nueve.

¡Y después pasó otra cosa supermejor! Todos los papás y las mamás y los abuelos y las abuelas vinieron y comieron galletas con nosotros. ¡Y estaban muy orgullosos!

Mi familia me abrazó.

Después, mi abuela Miller abrazó a Superwilliam. Y mi abuelo Miller lo alzó y le dio vueltas. ¡Porque a William le encantaba la capa, te lo digo!

¿Y adivina qué más?

Ni siquiera se la pedí de vuelta. ¡En todo el día!

—Soy una niña muy amable —me dije a mí misma—. Estoy siendo una buena capitana.

Después de eso, me morí de la risa.

Porque, ¿adivina qué?

¡Estaba fanfarroneando!

Barbara Park dice:

"Me hubiera encantado tener un Día de Juegos cuando estaba en la escuela.

¡Todas esas competencias!

¡Todo ese espíritu de equipo!

Y lo mejor, ¡nada de calificaciones!

Por suerte, mis dos hijos tuvieron Día de Juegos en la escuela. Cada primavera, mi esposo y yo nos emocionábamos cuando llegaba el día de ir al patio de la escuela para animarlos. Por supuesto, pasábamos mucho tiempo, como la mayoría de los padres, tratando de convencerlos de que lo importante no era ganar o perder. Les decíamos una y otra vez que lo divertido de los deportes es participar.

Nunca nos pusieron atención.

Igual que los del Salón Nueve.

Bueno, está bien. Quizás perder no es divertido. Pero tal y como Junie B. y los de su salón pudieron ver, incluso cuando todo parece venirse abajo, la vida puede darnos grandes sorpresas".